아이돌 스타, 윌리엄

SEOUL, 2017

아이돌 스타, 윌리엄

초판 제1쇄 발행일 2017년 6월 20일
초판 제7쇄 발행일 2022년 3월 20일
글 알랭 M. 베르즈롱 그림 이민혜 옮김 이정주
발행인 박헌용, 윤호권 발행처 (주)시공사
주소 서울시 성동구 상원1길 22, 6-8층 (우편번호 04779)
대표전화 02-3486-6877 팩스(주문) 02-585-1247
홈페이지 www.sigongsa.com/www.sigongjunior.com

ISBN 978-89-527-8545-9 74860
ISBN 978-89-527-5579-7 (세트)

*시공사는 시공간을 넘는 무한한 콘텐츠 세상을 만듭니다.
*시공사는 더 나은 내일을 함께 만들 여러분의 소중한 의견을 기다립니다.
*잘못 만들어진 책은 구입하신 곳에서 바꾸어 드립니다.

KC마크는 이 제품이 공통안전기준에 적합하였음을 의미합니다.
제조국 : 대한민국   사용 연령 : 8세 이상
책장에 손이 베이지 않게, 모서리에 다치지 않게 주의하세요.

아이돌 스타, 윌리엄

알랭 M. 베르종 글 · 이민혜 그림

이정주 옮김

시공주니어

|차 례|

앞 이야기

- 16살의 가수 윌리엄 파커는 매일 1500개의 페이스북 메시지를 받아요.
- 데뷔 후 2500만 장의 음반 판매를 기록했어요.
- 페이스북에는 가짜 윌리엄 파커가 214명이나 있어요.
- 트위터로 윌리엄 파커의 소식을 받아 보는 팔로워가 100만 명이 넘어요.
- 뮤직비디오는 유튜브에서 500만 번 넘게 재생됐어요.
- 7000편 이상의 비디오를 찍어 스타가 되었어요.
- 캐나다에서 열린 콘서트 표는 20만 장 넘게 팔렸어요.
- 인터넷에 윌리엄 파커를 검색하면 300만 개 이상의 기사가 나와요.
- 80만 명이 윌리엄 파커 페이스북에 '좋아요'를 눌렀고, 그중에는 도미니크의 여자 친구 '파스칼 아멜리 노엘'도 있어요……

1장
아침마다 윌리엄 파커

아침에 일어나는 건 한 번도 힘든 적이 없어요.

"도미니크, 일어나야지!"

부엌에서 아침을 준비하는 엄마가 소리쳤어요.

고칠게요. 아주 가끔은 힘들어요.

"도미니크, 얼른 일어나!"

엄마의 목소리가 커졌어요.

사실은…… 조금 힘들어요.

"도미니크 오빠!"

내 동생 이사벨이 귀에 대고 소리쳤어요.

방금 세상에서 가장 기분 나쁜 알람이 울렸어요. 나는 머리끝까지 이불을 홱 끌어당겼어요. 엄마의 명령과 동생의 뾰족한 목소리로는 날 침대 밖으로 끌어내기 힘들어요. 날 끌어내려면 좀 더 강하고 확실한 게 필요해요.

그건 내 동생 이사벨이 아주 잘 알지요.

이사벨은 라디오를 켜고 볼륨을 제일 크게 높였어요. 늘 같은 시간에, 같은 노래예요. 7시 10분, 이사벨은 노래가 나오자마자 고래고래 따라 불렀어요.

"내가 널 좋아하나 봐아아아! 널 좋아하나 봐아아아!"

도저히 못 참겠어요오오오! 나는 귀를 틀어막고서

마치 수많은 벌레들에게 물린 것처럼 몸부림치며
침대 밖으로 뛰어내렸어요.

"내가 널 좋아하나 봐아아아! 널 좋아하나
봐아아아!"

이미 늦었어요. 난 듣고야 말았어요.

'내가 널 좋아하나 봐아아아!'는 노래가 아니에요.
소 울음소리예요! 암소 울음소리랑 비슷해요!

이 노래가 머릿속에 한번 들어오면, 몰아낼 수가
없어요. 아, 괴로워요!

이사벨은 계속 노래를 따라 불렀어요. 이사벨의
노랫소리가 커질수록 내 괴로움도 커졌지요. 나는
목청을 높여 이사벨의 목소리를 덮으려고 애썼어요.

"엄마! 이사벨이 태어났을 때, 볼륨을 0으로
낮추는 버튼 같은 건 없었어요?"

내 말에 이사벨은 냉큼 잠옷을 들치며 배꼽을
내보였어요.

"여기 있지롱! 볼륨 10!"

이사벨은 배꼽을 꾹꾹
누르며 더 크게 노래를
불렀어요.

"안 돼! 2로 낮춰!
알겠니?"

곧바로 엄마가 이사벨의
배꼽을 눌렀어요.

"네, 사랑하는 엄마아아아!"

난 이사벨의 시끄러운 목소리를 잠재우기 위해

거실로 가서 리모컨으로 텔레비전을 켰어요. 하지만

일은 더 커졌어요.

"내가 널 좋아하나 봐아아아! 널 좋아하나

봐아아아!"

아, 안 돼! 하필이면 이사벨이 좋아하는 아이돌

가수, 재수 없는 윌리엄 파커의 뮤직비디오가

나왔어요.

이사벨은 밥을 먹다 말고 로켓처럼 식탁에서 튕겨 나오더니, 텔레비전 앞에 딱 달라붙어서 춤 동작을 하나하나 따라 했어요!

엄마가 이사벨을 끌어다 다시 식탁에 앉히고 나서야 끝이 났지요.

이 광경을 말없이 지켜보던 아빠가 신문을 펼쳐 읽었어요.

……!

나 참, 끈질기기 짝이 없어요! 신문 첫 장에 윌리엄 파커의 컬러 사진이 떡하니 실려 있고, 그에 대한 기사가 신문 길이만큼 길지 뭐예요. 윌리엄 파커는 라디오에, 텔레비전에, 신문에, 그야말로 여기저기에서 튀어나왔어요.

이사벨은 투덜거리는 날 보면서 혀를 쭉 내밀었어요.

"오빠는 지금 질투하는 거야!"

"쳇, 내가? 윌리엄 파커를 질투해? 웃기시네! 되게 못생겼던데!"

"그렇게 말하면 안 되지. 오빠랑 닮았잖아!"

웩! 내가 윌리엄 파커랑 닮았다니……. 그런데 더 기분 나쁜 건, 그 말이 맞는 것 같다는 거예요. 나는 어깨를 으쓱이며 무시하기로 했어요. 나는 그릇에 알파벳 모양의 시리얼을 넣고 우유를 붓다가 시리얼 상자 뒷면을 보았어요. 웨에에엑! 입맛이 뚝 떨어졌어요. 시리얼 상자에도 윌리엄 파커가 있었어요! 그것도 소녀 팬과 얼싸안고서요. 그 소녀 팬은…… 이사벨이었어요! 자기가 가장 잘 나온 사진을 오려서 아이돌 가수 옆에 딱 붙여 놓은 거예요.

"오빠, 이거 봐!"

이사벨이 시리얼 그릇을 내 코 밑에 들이밀었어요.

우유에 알파벳 모양의 시리얼을 둥둥 띄워 '윌리엄 파커'라고 만들었어요. 한 글자도 틀리지 않고요! 난 윌리엄 파커를 싫어하나 봐아아아!

2장
학교에도 윌리엄 파커

윌리엄 파커는 나랑 상관없는 이야깃거리예요.
어쨌든 그 아이돌 가수는 내 동생 또래의 여자애들,
그러니까 다섯 살이나 여섯 살쯤의 여자애들,
유치원에 다니는 코흘리개 여자애들이나 좋아해요.
내가 좋아하는 애는…… 파스칼 아멜리
노엘이지요. 내 여자 친구예요. 우리는 사귄 지

일주일이나 되었어요. 우리 반 최고 기록이에요.
우리가 오래 잘 사귀는 이유 중의 하나는 너무 자주
보지 않기 때문이에요. 사실이에요. 자주 보다 보면
결국에는 싫증이 날 수 있잖아요!

　나는 친한 친구들인 앙토니, 자비에와 함께 학교
운동장에 들어섰어요. 금세 파스칼 아멜리를
발견했지요. 파스칼 아멜리는 줄리아 레퀴에와
레오니 왓슨과 같이 있었어요.

　여자애들은 그네 주위에 서서 고개를 숙이고
있었어요. 그래서 파스칼 아멜리와 눈을 맞추기가
어려웠어요. 나는 내 여자 친구 곁으로 슬그머니

다가갔어요. 여자 친구가 탄성을 질렀어요.

"아, 완전 잘생겼어!"

나는 절로 미소가 지어졌어요. 뭐, 그런 얘기를 다!

"맞아, 짱 귀여워!"

줄리아가 맞장구쳤어요.

"쟤 여자 친구는 진짜 좋을 거야!"

심지어 레오니까지 거들었어요.

나는 기뻐서 어쩔 줄 몰랐어요.

"이 연보라색 눈은 반할 수밖에 없어!"

파스칼 아멜리가 감탄했어요.

그 말에 한껏 부풀었던 내 마음이 푹 꺼졌어요.

양 볼이 확 달아올랐어요. 나도 알아요…….

연보라는 윌리엄 파커가 좋아하는 색이에요.

여자애들 세 명은 잡지에서 눈을 뗄 줄 몰랐어요.

그러니까 "완전 잘생겼어!", "짱 귀여워!"는 나한테
한 말이 아니었어요.

파스칼 아멜리, 줄리아와 레오니의 심장은 자기들이 좋아하는 아이돌 가수에게만 두근거렸어요!

난 윌리엄 파커가 진심으로 싫어지기 시작했어요!

그럴 수밖에요. 윌리엄 파커는 오늘 아침부터 라디오에서 나와 날 깨웠고, 텔레비전부터 신문, 시리얼 상자까지 집 안 곳곳에 나타나더니, 학교 운동장까지 끈질기게 따라왔어요! 짜증 나 죽겠어요오오오!

난 내 여자 친구의 마음을 두고 녀석과 경쟁하는 기분이 들었어요. 파스칼 아멜리가 그 아이돌 가수한테 하듯이 내 생각을 하면서 감탄했으면 좋겠어요.

주사기 아줌마, 내 괴로움을 달래 줄 예방 주사는 없을까요? ('주사기'는 보건 선생님의 별명이에요.)

"도미니크 아벨, 넌 방해돼!"

줄리아 레퀴에가 날 가리키며 말했어요.

"맞아, 우리 여자들끼리 있고 싶어. 안 그러니, 얘들아? 네가 잊은 모양인데, 넌 남자잖아!"

레오니 왓슨이 거들었어요.

"안녕, 도미니크?"

파스칼 아멜리는 미소를 지으며 말했어요.

나도 미소로 답하려고 했어요. 하지만 내 얼굴은 우거지상이었어요.

"안녕! 뭐…… 재미난 거 읽나 보지?"

나는 예의 바르게 보이고 싶었어요. 윌리엄 파커에 대한 글이라면 시시하다는 걸 잘 알지만 말이에요.

"넌 몰라도 돼."

파스칼 아멜리를 대신해서 줄리아가 매몰차게 대꾸했어요.

그 말에 나는 기분이 팍 상했어요.

"알아, 그 유명한 윌리엄 파커 얘기겠지."

"내가 널 좋아하나 봐아아아!"

앙토니가 키득거리면서 소 울듯이 노래했어요.
제법 흉내를 잘 냈어요.
"너희 남자애들은 질투쟁이들이야!"
레오니가 앞장서서 말했어요.
"맞아. 윌리엄은 잘생겼지, 착하지, 왼손으로

기타도 잘 치지, 작곡 실력도
뛰어나지, 연보라색도 좋아하고,
부자잖아. 뭣보다 노래할 때
목소리가 얼마나 멋진지 몰라."
줄리아는 한술 더 떴어요.

"소몰이하는 것 같은 목소리 말이야?"

앙토니가 짓궂게 물었어요.

"그런 말에 우리가 놀랄 줄 아는 모양이지?"

자비에는 심드렁하게 말했어요.

"윌리엄 파커는 엄마한테 2만 5000달러짜리 목걸이를 사 줬대. 진짜야. 여기 잡지에 나왔어."

파스칼 아멜리가 힘주어 말했어요.

나는 어디에 쓰여 있다고 해서 반드시 사실인 건 아니라고 말해 줬어요.

"행운의 편지를 생각해 봐. 말도 안 되는 얘기잖아……."

그때, 수업 종이 울려서 입씨름을 멈추고 교실로 들어가야 했어요. 여자애들은 우리를 본척만척하며 다시 윌리엄 파커 얘기로 수다를 떨었어요.

나는 풀이 죽었어요. 엄마한테 2만 5000달러짜리 목걸이를 사 주는 녀석을 어떻게 이겨요? 내가

엄마한테 사 줄 수 있는 목걸이라고는 하나씩 빼
먹는 사탕 목걸이뿐인걸요. 이런 얘기는 인기 잡지에
실릴 수 없어요!

　교실에서 상황은 더 나빠졌어요. 파스칼 아멜리가
수첩을 펼쳤고, 나는 목을 쭉 내밀어 수첩의 그림을
봤어요. 내 여자 친구가 연필로 그린 윌리엄
파커예요. 참 잘 그렸어요. 오른쪽 눈만
연보라색으로 칠했어요. 나는 파스칼 아멜리가
이렇게 그림을 잘 그리는지 몰랐어요. 왜 내 얼굴은
그리지 않았을까요? 나도 윌리엄 파커만큼 잘생기고,
귀엽고, 매력적인 것 같은데 말이에요. 안 그래요?

　파스칼 아멜리는 검지를
자신의 입술에 댔다가
아이돌의 입술에 살포시
갖다 댔어요.

　으아악, 가슴이 찢어져요!

3장
수첩에도 윌리엄 파커

종종 바보 같은 짓을 저지를 때면, 저지른 그 순간에야 바보 같은 짓이란 걸 깨달아요. 나도 그랬어요. 잘못을 저지른 그 순간, 좋은 생각이 아니었고, 이사벨 같은 어린애들이나 하는 유치한 짓이라는 걸 깨달았지요.

하지만 참을 수가 없었어요. 곧장 후회했지만,

이미 너무 늦었어요.

쉬는 시간에 반 친구들이 모두 운동장으로 달려
나갈 때, 나는 책상에서 뭔가를 찾는 척하면서
시간을 벌었어요. 교실이 비자, 나는 곧바로 파스칼
아멜리의 수첩을 펼쳤어요. 딱 그 장이 나왔어요.
나는 망설이지 않고 사인펜으로 윌리엄 파커 얼굴에
콧수염을 북북 그렸어요. 아주 크고 시커멓게요.

하지만 날 찾으러 교실에 돌아온 자비에
보리외에게 딱 걸리고 말았어요.

"난 네가 화장실에 있는 줄 알고 찾으러 갔었어.
또 지퍼가 고장 난 줄 알았지."

"자비에 보리외, 아무에게도 말하지 말아 줘."

나는 창피해하며 부탁했어요.

낙서를 끝낸 나는 수첩을 덮고 자비에와 함께
부리나케 도망쳤어요.

'내가 왜 그랬을까?'

쉬는 시간이 끝나고 나는 내 자리로 와 앉았어요.
파스칼 아멜리 쪽은 쳐다보지 않으려고 애썼어요.
《지구 속 여행》이라는 진짜 재미난 책을 읽으려고
하는데, 파스칼 아멜리가 수첩을 펼치는 소리가
들렸어요.

파스칼 아멜리는 이상한 소리를 짧게 내뱉었어요.
기분 나쁜, 화난, 짜증 나는, 즐거운? 무슨 소리라고
표현해야 할지 모르겠어요.

나는 힐끔 곁눈질했어요.

파스칼 아멜리는 차분했어요. 쥬느비에브 담임
선생님이 잠시 자리를 비우자, 파스칼 아멜리가
줄리아와 레오니에게 내 훌륭한 작품을 보여 줬어요.

"어머, 이런 세상에!"

줄리아가 소리쳤어요.

"누가 감히 이런 짓을?"

레오니가 욱했어요.

갑자기 교실 안이 더워요. 내 양 볼이 빨개지고,
이마에 '범인'이라는 붉은 글씨가 쓰이고, 내가 한
낙서라는 걸 파스칼 아멜리가 알아챌 것만 같아요.

"와, 아주 멋지구먼!"

앙토니가 그림을 보면서 키득거렸어요.

"이러니까 훨씬 귀여운 것 같아!"

파스칼 아멜리가 작게 속삭였어요.

엥? 콧수염 덕분에 윌리엄 파커가 더 귀엽게
보인다고요?

"네 말이 맞아, 파스칼 아멜리. 훨씬 남자다워 보여."

줄리아가 맞장구쳤어요.

"정말. 도미니크 같은 남자애처럼 보이지 않아."

레오니도 덧붙여 말했어요.

"네 그림을 윌리엄 파커 페이스북에 올려 보자."

줄리아가 제안했어요.

"그러면 소녀 팬이 더 늘어날 거야!"

파스칼 아멜리가
말했어요.

여자애들 뒤에 앉은
자비에 보리외가 생각
없이 여자애들의 대화에
끼어들었어요. 녀석은
잠자코 있어야 했어요.

"도미니크가 고친 그림이 마음에 드나 봐?"

헉, 자비에 보리외가 말실수를 했어요!

여자애들은 입을 앙다문 채 날 째려봤어요. 나는
파스칼 아멜리의 눈치를 살피며 우물우물 말했어요.

"파스칼 아멜리, 네가 원하면 콧수염은 지울 수 있어.
원하지 않으면 안 할게."

파스칼 아멜리는 수첩을 탁 덮었어요.

내 여자 친구는 잔뜩 화가 났어요. 어쩌면 이젠 내
'옛' 여자 친구라고 불러야 할지도 몰라요.

컴퓨터에도 윌리엄 파커

파스칼 아멜리는 내 옛 여자 친구가 되고 만 걸까요? 나한테 말 한마디 걸지 않아요. 단단히 삐쳤어요. 내가 그 좋아하는 아이돌 가수 얘기로 말을 걸어도 소용이 없었어요. 헛수고였어요.

나는 학교에서 괴로운 시간을 보내고 집으로 돌아왔어요. 파스칼 아멜리는 학교 버스에서도 내 옆자리에 앉으려고 하지 않았어요.

　나는 머릿속에서 윌리엄 파커를 지우려고
컴퓨터를 켜 '마르모트, 구멍에서 나와!'라는 게임을
했어요. 몇 주 전부터 새로운 버전을 하고 있지요.
원래 마르모트 게임은 아무 구멍에서나 불쑥불쑥
튀어나오는 마르모트를 때리는 건데, 난 마르모트
대신에 윌리엄 파커를 때려요! 게임에서는 내가 늘

이기지요!

갑자기 컴퓨터 화면이 까매졌어요. 나는 스페이스 바를 눌렀어요. 웩! 바탕 화면에 입술을 오므리고 뽀뽀를 날리는 윌리엄 파커의 사진이 떴어요! 또 웩! 새 창이 열리면서 '널 좋아하나 봐아아아!' 노래가 흘러나왔어요. 이사벨의 짓이에요.

난 냉큼 창을 닫고 바탕 화면 배경을 바꿨어요. 개코원숭이 사진으로요.

나는 게임을 다시 켜고 신나게 즐겼어요.

"봐, 윌리엄! 내가 이 게임을…… 좋아하나 봐아아아!"

내가 목표물을 정확하게 탁탁 때릴 때마다 윌리엄 파커는 "아얏!" 하고 소리치며 마르모트 구멍으로 쏙 들어갔어요.

"아얏! 아얏! 아얏!"

그때, 누가 초인종을 눌렀어요. 나는 대답하며

뛰어나갔어요. 그런데 파스칼 아멜리가 울면서 서
있는 거예요!

"왜 그래?"

나는 당황했어요.

파스칼 아멜리는 흐느끼면서 간신히 말했어요.
우리 도시에서 열리는 윌리엄 파커의 깜짝 콘서트
표를 사고 싶은데, 갑자기 컴퓨터가 먹통이 되는
바람에 예매 사이트에 접속할 수 없다고요.

"표가 금방 팔리니까 서둘러야 해."

나는 망설였어요. 파스칼 아멜리를 도와 내가
저지른 큰 실수를 바로잡을 수 있다는 기쁨과,
또다시 윌리엄 파커를 참아 내야 한다는 괴로움
사이에서 말이에요. 나는 한숨을 내쉬며 앞엣것을
선택했어요.

파스칼 아멜리는 고맙다며 내 뺨에 뽀뽀했어요.
정말 잘한 선택이었어요!

나는 파스칼 아멜리를 아빠 책상으로 데려갔어요.
컴퓨터 화면이 잠자기 모드여서 아무 키나 눌렀어요.
그러자 윌리엄 파커가 구멍 여기저기서 튀어나오는
게임이 시작되었어요.

"이게 뭐야?"

파스칼 아멜리가 눈살을 팍 찌푸리며 소리쳤어요.

아이코! 파스칼 아멜리가 다시 삐치려고 해요.
나는 잽싸게 게임 창을 닫았어요.

"내 동생 이사벨이 하는 게임이야."

나는 파스칼 아멜리를 쳐다보지도 못한 채
얼버무렸어요.

파스칼 아멜리가 콘서트 예매 사이트 주소를 알려
줬어요.

"지난 콘서트 표는 1만 5000장이 한 시간도 안
돼서 매진됐어."

파스칼 아멜리는 손목시계를 쳐다봤어요. 급한

목소리로 예매가 시작된 지 50분이 지났고, 아직
표가 남아 있다고 말해 줬어요.

우리는 예매 사이트에 접속했어요. 여기까지는
아무 문제도 없었어요.

"아아, 진짜 잘생겼어어어!"

파스칼 아멜리가 윌리엄 파커의 콘서트 포스터를
보며 좋아했어요.

"내가 널 좋아하나 봐아아아! 널 좋아하나
봐아아아!"

예매 사이트에서 윌리엄 파커의 노래도
흘러나왔어요.

"시끄러우니까 꺼 버릴게."

"시끄러워?"

아차, 또 말실수!

"아니, 소리 좀 줄인다고……."

"어서 빨리!"

파스칼 아멜리는 안절부절못하며 애원했어요.

"몇 장?"

"두 장! 자리는 아무 데나!"

나는 두 자리를 정확하게 클릭했고, 여자 친구를 안심시키기 위해 큰 소리로 말하면서 다음 단계로 넘어갔어요.

"두 장…… 80달러…… 80달러? 표 한 장에! 아니……."

나는 한마디 하려다가 파스칼 아멜리의 따가운 눈초리에 그만뒀어요. 파스칼 아멜리는 엄마의 신용 카드를 내밀었어요. 나는 카드 번호와 유효 기간을 입력했어요.

"수수료, 배송비까지 다 합하면 192달러 28센트야. 결제하기 눌러?"

"응!!!"

파스칼 아멜리는 기뻐서 폴짝거리며 노래하기

시작했어요.

"내가 널 좋아하나 봐아아아!"

아무래도 이 노래 때문에 정신이 사나워졌나 봐요.
'결제하기' 버튼을 누르는 순간, 생각지도 못한 일이
벌어지고 말았어요.

"아얏! 아얏! 아얏! 아얏!"

월리엄 파커 버전의 마르모트 게임이 컴퓨터 화면을 가득 채웠어요. 내가 다른 키를 살짝 건드렸나 봐요.

"아아악!"

파스칼 아멜리가 비명을 질렀어요.

나도 놀라서 예매 사이트를 다시 열려고 했어요.

"아아악!"

파스칼 아멜리의 비명이 두 배로 커졌어요.

"미안해, 미안해!"

이번에는 제대로 클릭하지 못해 예매 사이트 화면을 끄고 말았어요.

"도미니크 아벨, 너 일부러 그랬지!"

파스칼 아멜리는 눈물을 글썽이며 화를 냈어요.

나는 부리나케 예매 사이트를 다시 띄웠어요.

…….

하지만 화면에는 연보라색 띠가 월리엄 파커의

얼굴을 빗금으로 가로지르면서 '매진'이라는 글자가
떠 버렸어요.

　그러니까 표가 단 한 장도 남지 않은 거예요.

　내 심장이 쿵 내려앉았어요. 하지만 파스칼
아멜리만큼은 아니었어요.

　파스칼 아멜리는 내 손에서 신용 카드를 빼앗아
홱 뒤돌아서더니, 분노와 절망의 눈물을 터뜨리며

가 버렸어요. 벽이 다 흔들릴 정도로 현관문을 쾅
닫으면서요.

아얏!

5장
오디션에도 월리엄 파커

    학교에서도 상황은 나아지지 않았어요. 파스칼 아멜리와는 반대로 예매에 성공한 줄리아와 레오니는 기뻐서 어쩔 줄 몰라 했어요. 반 친구들 모두에게 자랑했지요.

    내가 실수를 저질렀으니 여자애들의 온갖 비난을 들어도 싸요. 여자애들은 똘똘 뭉쳤어요. 앙토니와 자비에를 비롯한 남자애들은 윌리엄 파커 버전의 마르모트 게임을 하고 싶다며 링크를 달라고 졸랐어요. 남자애들도 똘똘 뭉치긴 뭉쳤어요.

나는 이 문제를 어떻게 해결해야 할지 몰라 답답했어요. 쥬느비에브 선생님이 이런 내 마음을 알아챘어요. 쉬는 시간에 얘기를 하자며, 교실에 남게 했지요. 난 어제 일을 간단하게 말했어요.

"아, 그래! 윌리엄 파커의 인기는 대단하지. 우리 딸애 방 벽에도 그 잘생긴 가수 사진이 잔뜩 붙어 있단다."

선생님은 줄리아에게서 빼앗은 잡지를 집었어요. 줄리아는 수학 시간에 몰래 잡지를 읽다가 들켰지요. 선생님은 책장을 넘기다가 멈췄어요.

"여기야!"

선생님은 내게 잡지를 내밀었어요. 나는 끔찍한 병이라도 옮을 것처럼 조심하며 잡지를 받았어요.

나는 빠르게 기사를 읽어 내려갔어요. 이런
잡지를 읽는다는 걸 들키지 않으려고요. 나는
당황한 얼굴로 선생님을 올려다봤어요.
　"도미니크, 혹시 아니? 그리고 네가 잃을 게 뭐가
있어?"

나는 머리가 어질어질했어요.

"제 체면요, 선생님."

대회에 나가려면 이 분야의 전문가, 그러니까
줄리아와 레오니의 도움이 필요해요. 윌리엄
파커에 대해서라면 모르는 게 없으니까요. 나는
애들에게 도와 달라고 간절히 부탁했어요.

"내가 아니라 너희 친구 파스칼 아멜리를 위해서
도와줘."

마침내 여자애들이 내 부탁을 들어주기로
했어요.

"진짜 잘될지도 몰라. 좀 닮은 구석이
있으니까……."

줄리아가 말했어요.

"엄청 애써야 할걸. 이길 가능성은 거의 없지만."

레오니는 퉁명스럽게 말했어요.

일주일 뒤, 지금 나는 다양한 버전의 윌리엄
파커들과 함께 대기실에 있어요. 그래요, 나도 그중
한 명이에요!

잡지사와 라디오 프로그램 주최로 '윌리엄 파커
닮은 꼴 대회'가 열렸어요. 선생님이 내게 보여 준
기사가 이거였어요. 우승자에게는 여자애들이
좋아하는 아이돌, 윌리엄 파커의 콘서트 표 두 장이
주어지거든요. 그것도 가장 비싼 자리로요. 그래서
참가한 거예요.

난 파스칼 아멜리를 위해서라면 윌리엄 파커를
닮았다는 굴욕도 이겨 낼 준비가 되어 있었어요. 좀
비슷한 정도가 아니라 윌리엄 파커라고 착각할
만큼 충분히 닮았고요. 아주 긍정적으로 생각하면
말이에요. 이 말을 꼭 덧붙이고 싶네요.

줄리아와 레오니는 내 머리를 앞으로 쓸어내려
한쪽 눈을 가렸어요. 그러자 나도 모르게 괜히

당당해졌어요. 또 내 양 옆머리를 윌리엄 파커의
'트레이드 마크'인 연보라색으로 염색했어요.
적당한 옷도 골라 줬지요. 청바지에 연보라색 후드
티, 흰색 신발에 연보라색 양말로요. 정말이지 이
아이돌 가수는 연보라색을 너무 좋아해요. 웃을
때도 연보라색 이를 드러낼 것만 같다니까요!

　이번에는 화장을 할 차례예요. 내가 싫다고
고개를 가로저었지만, 애들은 기어이 내 눈가를
시커멓게 칠했어요.

　"넌 선택할 수 없어!"

　줄리아가 성을 냈어요.

　"우리 말대로 하지 않을 거면, 너 혼자 준비해."

　레오니가 으름장을 놓았지요.

　나도 입씨름을 포기했어요. 하지만 귀걸이만큼은
안 된다고 강하게 말했어요.

　"그래, 네 귓불은 뚫지 않을게!"

웬일로 줄리아가 한발 물러섰어요.

"걱정하지 마. 윌리엄 파커는 귀걸이를 하지 않으니까."

그 말에 나는 마음이 놓였어요.

"그래, 맞아. 혀를 뚫은 뒤부터는 귀걸이를 하지 않잖아."

레오니가 맞장구쳤어요.

"안 돼애애애!"

6장
우승자도 윌리엄 파커

가짜 윌리엄 파커들은 순서대로 한 명씩 100여 명의 여자애들 앞에 소개되었어요. 여자애들은 진짜 윌리엄 파커를 본 것처럼 꺅꺅 소리를 질렀어요.

나는 맨 마지막 차례예요. 다양한 윌리엄 파커가 있었어요. 키 작은 윌리엄 파커, 뚱뚱한 윌리엄 파커, 휠체어를 탄 윌리엄 파커, 백색증(태어날 때부터 특정 색소가 모자라 피부, 눈동자, 털이 하얀 증상 : 옮긴이)에 걸린 윌리엄 파커, 말라깽이 윌리엄 파커, 근육질의 윌리엄 파커, 그리고 여자 윌리엄 파커. 진짜 여자냐고요? 네! 파니란 누나가 있었어요. 남자처럼 생겨서 우리 틈에 있는 게 전혀 이상하지 않았어요. 내가 왜 여기에 참가했는지 슬며시 묻자, 파니 누나는 어깨를 으쓱였어요.

"콘서트 표를 살 돈이 없었거든. 우리 부모님은 주지 않으시고. 그래서……."

그 말을 들으니 좀 미안해졌어요. 파니 누나는 중학생인데, 옛날부터, 그러니까 초등학생 때부터 이 아이돌을 좋아했대요.

내 앞 차례인 형도 파니 누나의 이야기를 들었어요. 고등학생쯤 되어 보이고, 나보다 키가 크고 마른 형이었어요.

크리스토퍼 형은 검은
선글라스를 끼고, 이마가
훤히 드러나게 머리를 위로
삐죽삐죽 세웠어요.
귀걸이는 하지 않았어요.
연보라색은
양말뿐이었어요.

참가자들이 순서대로 무대에 오르는 동안,
나는 크리스토퍼 형과 얘기를 나눴어요. 형은
자신에 대해서나 대회에 참가한 이유를 이야기할
때는 미적지근했어요. 하지만 내 얘기에는 크게
관심을 보였어요. 내가 여기까지 오게 된 사연을
짧게 말해 줬거든요. 내 얘기가 정말로 흥미로웠나
봐요. 특히 윌리엄 파커 버전의 마르모트 게임이요.

"링크를 알려 줄까요? 쉬워요…… 스트레스 푸는
데 그만이라니까요!"

형은 내 말에 웃음을 터뜨렸어요. 난 형에게 게임
사이트 주소를 알려 줬어요. 형은 내가 파스칼
아멜리의 표를 예매하려다 실패했다는 이야기에는
웃지 않았어요.

"그래서 꾹 참고 여기에 나온 거예요."

누가 형의 팔을 잡았어요.

"이번에 나갈 차례예요."

진행 요원이 형에게 말했어요.

크리스토퍼 형이 무대에 올랐어요. 박수 소리가
크지 않았어요. 관객들은 예의상 박수를 쳤지,
진심으로 좋아서 치지는 않았어요.

진행 요원이 내게 나갈 차례라고 손짓했어요. 나는
빨리 끝내고 싶은 마음으로 무대에 나섰어요. 귀청이
떨어질 듯한 큰 환호성이 터졌어요.

"꺄아아악!"

나는 강한 조명에 눈이 부셔서 여자 진행자를
알아보는 데 시간이 걸렸어요. 진행자는 이제 막
10대를 벗어난 앳된 어른이었어요.

"도미니크 아벨 군, 윌리엄 파커의 노래를 한 곡
불러 줄래요?"

진행자가 부탁했어요.

"안 돼요오오!"

나는 줄리아와 레오니가 마지막으로 신신당부했던

말을 잊지 않았거든요.

"1등으로 뽑히고 싶으면, 노래 부르지 마! 넌 노래하면 스타일 구겨져!"

이어서 모든 참가자가 무대 앞으로 나왔어요. 관객들은 자기가 좋아하는 참가자에게 박수를 보냈어요. 참가 번호 1번은 라파엘이란 휠체어를 탄 남자애였는데, 엄청나게 큰 환호를 받았어요. 휠체어 바퀴까지 연보라색으로 칠했거든요.

라파엘은 관객들의 열띤 호응에 들떠서 노래까지 불렀어요.

"내가 널 좋아하나 봐아아아!"

검은 선글라스를 쓴 크리스토퍼 형은 박수보다는 야유를 받았어요. 그래도 형은 마냥 즐거운 듯했어요. 나는 형을 위해 크게 박수를 쳐 줬어요. 형은 좋은 사람 같아요. 너무 잘난 척하지 않거든요.

여자 진행자가 내 뒤로 왔어요. 나는 손 그늘을

만들어 관객석을 바라봤어요. 맨 앞에 앉은 파스칼
아멜리가 보였어요. 옆에는 줄리아와 레오니가
있었어요.

엥? 앙토니와 자비에도 여자애들 뒤에 앉아
있었어요. 내 이름을 큰 소리로 외치면서 말이에요.

파스칼 아멜리가 날 보며 미소를 지었어요. 아,
파스칼 아멜리가 날 저렇게 봐 주니까 좋아요. 마치
내가 윌리엄 파커인 것 같아서요. 아니, 더 좋아요.
날 다시 남자 친구로 봐 주는 것 같아서요!

관객들은 어떤 윌리엄 파커를 선택할까요?

    나는 우승하지 못했어요. 휠체어를 탄 참가자
라파엘이 가장 많은 표를 받았어요. 라파엘은
자신의 이름이 불리자, 기쁜 나머지 휠체어에서
폴짝 뛰어오르며 현란한 발동작을 선보였어요…….
그래서 실격을 당하고 야유를 받으며 무대 밖으로
끌려 나갔어요. 결국, 콘서트 표는 백색증인 샤를
앙투안에게 돌아갔지요.

    나한테도 슬픈 결말은 아니었어요. 왜냐하면

파스칼 아멜리가 좋아하는 아이돌 가수의 콘서트에 가게 되었거든요. 파스칼 아멜리는 마음껏 소리를 질렀어요. 내 친구 윌리엄한테요……

내 친구 윌리엄이 누구냐고요?

네, 설명이 좀 필요해요.

나는 윌리엄 파커 닮은 꼴 대회에서 5등인가, 6등을 했어요. 파니 누나 다음이라 좀 망신이었지요. 파니 누나가 나보다 더 남자답다는 거잖아요. 검은 선글라스를 쓴 크리스토퍼 형이 꼴찌였어요. 하지만 형은 결과에 신경 쓰지 않았고, 오히려 기분이 좋아 보였어요.

결과를 듣는 순간, 나는 엄청 실망했지요. 파스칼 아멜리가 윌리엄 파커의 콘서트에 가지 못하는 게 여전히 나 때문인 것 같아서요.

크리스토퍼 형은 불쌍한 강아지를 쳐다보듯이 내 앞에 서서 손을 내밀었어요.

"도미니크, 널 알게 돼서 진심으로 기뻐. 실수를 바로잡기 위해 네가 보여 준 용기와 노력은 정말 대단해. 네 여자 친구에게 내 인사를 전해 줄래? 콘서트 잘 보라고."

형은 내 손에 얇고 네모난 종이 두 장을 쥐여 줬어요. 색깔이…… 연보라색이었어요.

그게 윌리엄 파커의 콘서트 표라는 걸 깨닫기까지 몇 초가 걸렸어요. 내가 기뻐서 막 소리를 지르려는데, 크리스토퍼 형이 조용히 하라고 했어요.

"알았어요. 근데 형, 콘서트 관계자예요?"

"그렇다고 할 수 있지."

크리스토퍼 형이 싱긋 웃으며 대답했어요.

그리고 검은 선글라스를 살짝 내리며 한쪽 눈을 찡긋했어요. ……연보라색 눈이었어요!

내가 파스칼 아멜리였다면, 그 자리에 풀썩 주저앉아 천장이 들썩이게 소리를 지르고는

사방팔방 폴짝폴짝 뛰어다니며 좋아했을 거예요.
어쩌면 형에게 뽀뽀했을지도 몰라요.

"정말 고마워요, 윌······."

앗, 실수! 나는 얼른 고쳐 말했어요.

"크리스토퍼 형!"

크리스토퍼 혀어어엉! 나는 그 유명한 노래에
형의 이름을 넣어서 노래했어요.

형은 구석에서 혼자 울고 있는 파니 누나를
달래러 갔어요. 카메라를 피해서 나한테 했던 대로
했지요. 파니 누나는 계속해서 울었어요. 하지만
그건 기쁨의 눈물이었어요.

다음 날, 나는 신문에서 윌리엄 파커가 닮은 꼴
대회와 콘서트 사이에 시간을 내 병원에서 암 투병
중인 소녀를 방문했다는 기사를 읽었어요. 소녀가
윌리엄 파커에게 편지를 보냈대요. 윌리엄 파커의
병문안으로 치료를 받느라 힘들어하던 소녀가 큰

기쁨과 위로를 받았다고 해요.

　나는 이제 윌리엄 파커가 싫지 않아요.
정말이에요. 수많은 소녀 팬을 거느린 인기
아이돌의 모습 뒤에 감춰진, 연보라색 눈빛에
넓은 마음을 가진 형을 봤으니까요.

　내가 형을 좋아하나 봐아아아!

작가의 말

불쌍한 도미니크. 전 책을 쓸 때마다 도미니크에게 쉬운 임무를 주지 않아요!

해가 거듭될수록 도미니크는 자신의 두려움과 맞서야 했어요.《지퍼가 고장 났다!》에서는 친구들의 놀림을 이겨 내고,《주시기가 온다》에서는 무시무시한 예방 주사를 맞고, 《버둥버둥 스키 수업》에서는 스키를 배우고,《끙, 동생은 귀찮아!》에서는 어린 동생을 데리고 쇼핑하며,《오싹! 핼러윈 데이》에서는 감옥 체험을,《자꾸자꾸 생각나》에서는 좋아하는 여자아이에게 고백을 해야 했어요.

그리고 이번 이야기에서도 엄청난 일을 겪게 돼요. 도미니크는 수백만 명의 소녀 팬을 거느린 아이돌, 윌리엄 파커에게 여자 친구를 빼앗길까 봐 전전긍긍하지요. 그러니 윌리엄 파커가 싫은 건 당연해요!

"나는 상대가 안 돼!"

도미니크는 단짝인 앙토니와 자비에에게 속상한 마음을
털어놓기도 해요.
　　하지만 도미니크, 네겐 놀랄 일이 생길 거야!

　　추신 : 몇몇 독자들은 윌리엄 파커가 지금은 어른이 된
인기 가수, '저스틴 비버'라는 걸 눈치챘을 거예요.

　　　　　　　　　　　　　　　　알랭 M. 베르즈롱

　이번 이야기에서 도미니크는 '질투의 화신'이 돼요. 갓
사귄 여자 친구 파스칼 아멜리가 잘생긴 아이돌 가수
윌리엄 파커에게 푹 빠져 버렸거든요. 자기보다 윌리엄
파커를 더 좋아하는 것 같아 이만저만 속상한 게 아니에요.
하지만 파스칼 아멜리를 위해서라면 뭐든 하지요. 여자
친구가 그렇게 가고 싶어 하는 아이돌 가수의 콘서트 표를
구하려고 윌리엄 파커 닮은 꼴 대회까지 나가니까요.

　도미니크를 보면 '불편한 사랑'이라는 말이 떠올라요.
좋아하니까, 사랑하니까, 불편함을 참아 내는 거예요. 아니,
도미니크는 체면도 버리고, 창피함도 무릅쓰지요. 기특하기
짝이 없어요. 이제는 여자 친구와 같은 가수를 좋아하게
됐으니, 알콩달콩한 사랑 이야기도 이어졌으면 좋겠어요.
고생 좀 그만하고 말이에요.

이정주